H.J. Reculé - J.-L. Sala

LA LEGENDE DE KYNAN

LOMBARD

Ce furent trois rois de combat,
Brillant de l'or d'Edyn,
Trois troupes cuirassées,
Trois chefs aux torques d'or,
Trois chevaliers sauvages...
Trois chefs de peuples
venant de chez les Bretons :
Elen et Adéon,
Et Kynan Meiriadawc.

Ô Armor,
Vint-il de chez les Bretons
Homme meilleur que Kynan,
Grand serviteur de la Déesse,
Serpent contre les ennemis insolents ?

Historia Britonum

D.1993.0086.2766

ISBN.2.8036.1020.5
Imprimé en Belgique par Proost sprl.

Dépôt légal : février 1993

Le chant de la déesse

ÎLE DE BRETAGNE
fin Vᵉ siècle

LE PRINCE KYNAN ?
IL EST DANS LA
FORTERESSE !

KYNAN ?!

6

CETTE EXPÉDITION NE SERVIRA QUE LES INTÉRÊTS DE MAC SEN, PAS CEUX DU PEUPLE BRETON!

LE HAUT-ROI IGNORE-T-IL QUE L'ON SE BAT SUR SON PROPRE ROYAUME ... QUE TES GUERRIERS REPOUSSENT QUOTIDIENNEMENT LES RAIDS DES PICTES? ET QUI ARRÊTERA ÉGALEMENT LES SAXONS, MAINTENANT QUE MON FRÈRE ADÉON A ABANDONNÉ SON POSTE À LA FRONTIÈRE ...

ET SE PAVANE À LA COUR DU HAUT-ROI !!!

TROIS FOIS MAUDITE SOIT CETTE TEMPÊTE, JAMAIS PLUS JE NE TROUVERAI MÔN SI JE NE REJOINS PAS LA CÔTE POUR ME REPÉRER!

AH, SI SEULEMENT JE POUVAIS CROISER UN...

UN RIVAGE!!

CE NE PEUT PAS ÊTRE L'ÎLE DE MÔN...

JE N'AURAIS DÛ Y ÊTRE QUE DEMAIN AU POINT DU JOUR!

QUI ES-TU MORTEL POUR OSER ABORDER LES RIVAGES SACRÉS DE L'ÎLE D'AVALLON, L'ABRI DES DIEUX, DES ÊTRES FÉES ET DES KORRIGANS!

AVALLON?!

9

TU ES VAILLANT, MORTEL,
TA DESTINÉE PEUT T'ÊTRE DÉVOILÉE !

MURIAS ? PROPHÉTISE S'IL TE PLAÎT !

MOI ?!

C'EST POUR QUI, LES TRANSES ET LES PROPHÉTIES, DÈS QU'UN HUMAIN MET LES PIEDS ICI ET PLAÎT À LA DÉESSE ?...

C'EST POUR MURIAS !

HOP !

PÔK

AUJOURD'HUI JE SUIS UN SANGLIER JE SUIS ROI, FORT ET VICTORIEUX. MON CHANT ET MES PAROLES ÉTAIENT AGRÉABLES AUTREFOIS DANS LES ASSEMBLÉES, PLAISANT AUX JEUNES ET JOLIES FEMMES, MON CHAR ÉTAIT BEAU ET MAJESTUEUX AUJOURD'HUI JE SUIS UN NOIR SANGLIER.

JE TE VOIS OFFRIR LA VILLE DE ROME À TON ROI JE TE VOIS, NOIR SANGLIER, TE TAILLER UN ROYAUME ET RÉGNER SUR LE PLUS BEAU DES PAYS, LES TERRES MAGIQUES D'ARMOR...

AINSÍ PARLE, LE DESTIN !

OUF!

C'EST LE DESTIN QUE JE TE RÉSERVE, TU SERAS LE PREMIER ROI BRETON D'ARMOR

MAIS JE DOIS AUPARAVANT PARTIR POUR ROME... QUE VONT DEVENIR MON PEUPLE ET L'ÎLE DE BRETAGNE, EN PROIE AUX PICTES ET AUX SAXONS ?!

UN AUTRE HÉROS PRENDRA TA PLACE, ET IL RÉUNIFIERA LES TRIBUS DE BRETAGNE POUR REPOUSSER L'ENVAHISSEUR, CETTE TÂCHE NE TE REVIENT PLUS

VOICI KALEDVOULC'H, C'EST PAR ELLE QUE CE HÉROS SERA ROI, C'EST PAR ELLE QU'IL FERA RÉGNER MA VOLONTÉ SUR LA BRETAGNE...
CETTE LAME A ÉTÉ FORGÉE AU COMMENCEMENT DE TOUS LES TEMPS...

ELLE DATE DE L'ÈRE DU SERPENT NOIR, ELLE EST PLUS ANCIENNE QUE LES DIEUX

...AINSI QUE LA LANCE DE LLUG ET LE CHAUDRON DU DAGDA

JE VAIS TE RENVOYER SUR LES JEUNES ROYAUMES, ET TE CONFIER KALEDVOULC'H, TU JETTERAS L'ÉPÉE DANS LE LAC DE LA NÉRÉIDE VIVIANE

15

Le chant de la conquête

KYNAN!

ADÉON, PETIT FOURBE! TOUJOURS LÀ OÙ SOUFFLE LE VENT DE L'AVENTURE!

NE M'EN VEUX PAS, JE N'AI FAIT QUE SUIVRE MES HOMMES... TOI AUSSI, ON DIRAIT!?

J'AI MES MOTIVATIONS! ...QUE PENSES-TU DE CETTE EXPÉDITION?

LE HAUT-ROI EST ASSEZ ÉTRANGE EN CE MOMENT, IL EST TOUJOURS À COMPLOTER AVEC SON DRUIDE CAMULOS...

...ILS SE SONT ÉCLIPSÉS DU FESTIN TOUT À L'HEURE, JE LES AI SUIVIS DISCRÈTEMENT...

...ET IL SEMBLE QU'ILS PRÉPARENT UN SACRIFICE HUMAIN SUIVANT L'ANCIEN RITE D'HÉSUS!

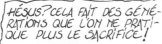

HÉSUS? CELA FAIT DES GÉNÉRATIONS QUE L'ON NE PRATIQUE PLUS LE SACRIFICE!

ALLONS VOIR CE QU'ILS PRÉPARENT!

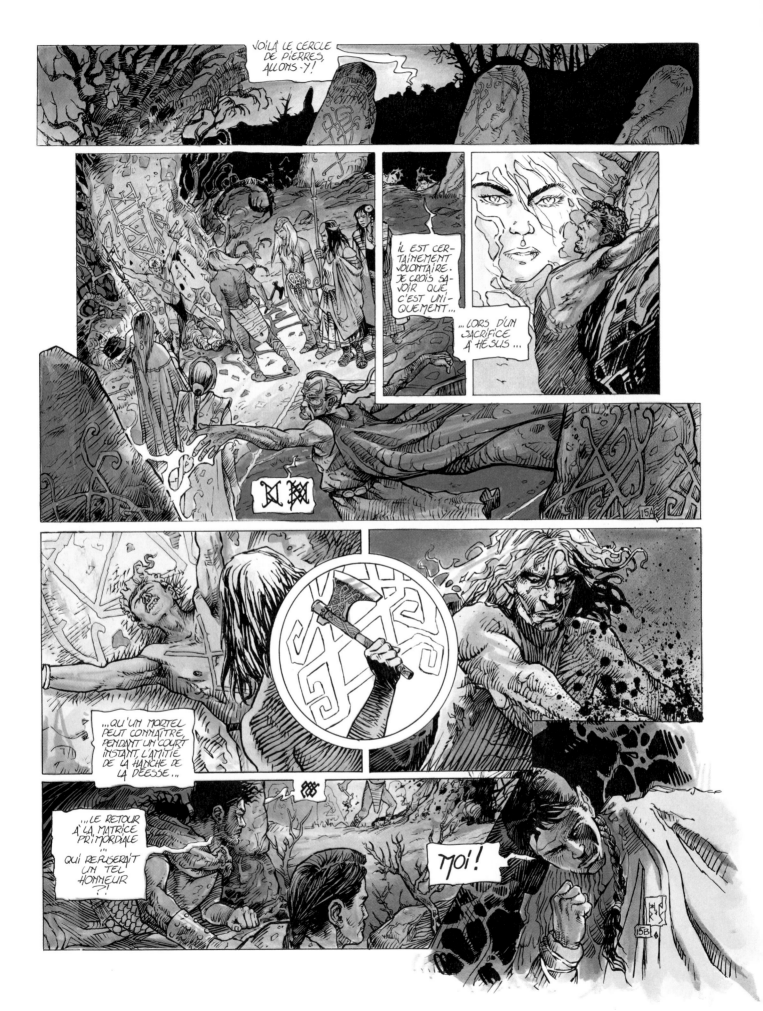

C'EST HORRIBLE ! IL LE DÉMEMBRE... MAIS POURQUOI FONT-ILS CELA ?

CE GENRE DE RITUEL N'EST PLUS PRATIQUÉ DEPUIS DES GÉNÉRATIONS !

LÀ, REGARDE !

BRICRIU EST SATISFAIT DE LA QUALITÉ DE TON SACRIFICE...

AINSI TOI, MAC SEN, TU INVOQUES MON AIDE POUR TON EXPÉDITION ?

MAIS DIS-MOI, PRÉFÈRES-TU LA RENOMMÉE ET LA GLOIRE OU L'ABOUTISSEMENT DE CETTE EXPÉDITION POUR TOUS LES TIENS ?

LA GLOIRE BIEN SÛR... C'EST CE POUR QUOI VIT CHAQUE CELTE !

LES GÉNÉRATIONS À VENIR RETIENDRONT TON NOM...

"... ET TU DEVIENDRAS UN PERSONNAGE DE LÉGENDE ! EN ÉCHANGE JE FERAI ENSORTE QUE..."

MAIS IL FAUT TE MÉFIER DE CEUX QUI SERVENT LA DÉESSE

"... CETTE EXPÉDITION SOIT FUNESTE ET J'ACCEPTERAI EN GUISE DE SACRIFICE, L'ÂME DES VICTIMES !"

LIONS CE PACTE DANS LE SANG

PARTONS ON EN A ASSEZ VU !

CONSIDÈRE CE PACTE COMME LIÉ !

REJOIGNONS LES AUTRES AU BANQUET !

22

MAC SEN WLETIG! HAUT-ROI DES BRETONS!

ENIVREZ-VOUS, MES BRAVES, CAR DEMAIN...

...NOUS FOULE-RONS LE SOL DU CONTINENT...

...ET NOUS TAILLERONS UN EMPIRE À LA FORCE DE NOS BRAS ET AU FIL DE NOS LAMES!

ROME!

inconscients

ROME! ROME!

À NOUS L'EMPIRE

VIVE MAC SEN!

...LE ROI DES ROIS!!

LES TROIS MAÎTRES DE LA MAISON DE MEIRIADAWC SONT LÀ: DAME ELEN ET LES PRINCES ADÉON ET KYNAN.

ILS SONT UN EXCELLENT ATOUT POUR NOTRE EXPÉDI-TION. LEUR TRIBU EST LA PLUS VALEUREUSE DANS LES BATAILLES ET ILS SONT TOUS TROIS DES CHEFS DE GUERRE REDOUTABLES!

...AIMÉS DE LA DÉESSE ?!

...ET AIMÉS DE LA DÉESSE.

23

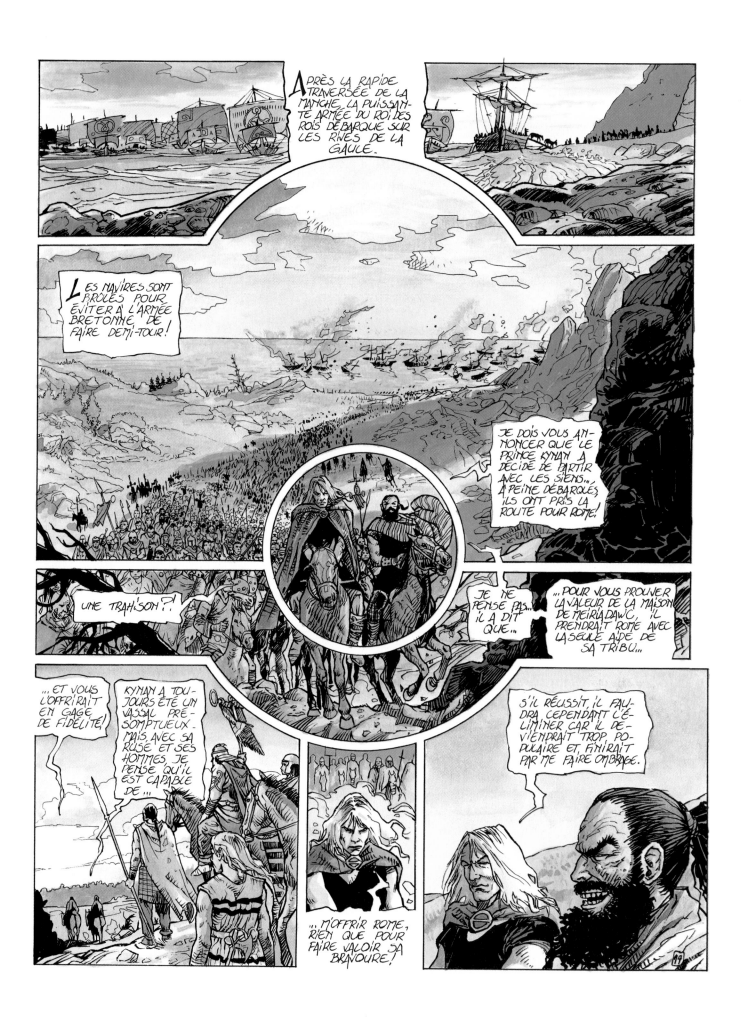

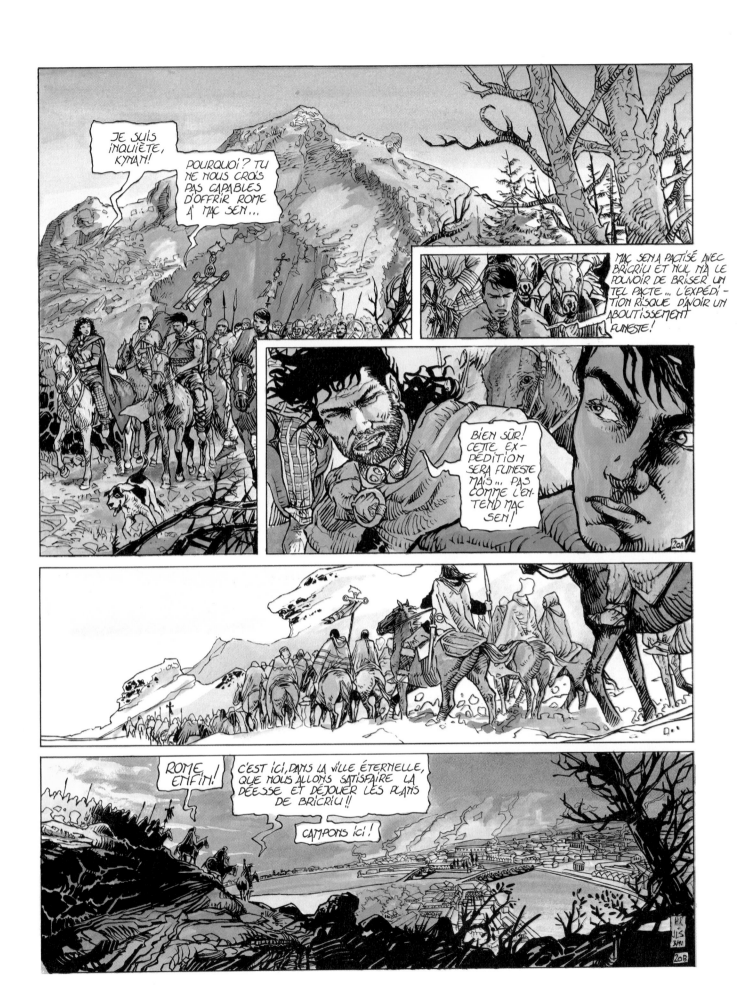

25

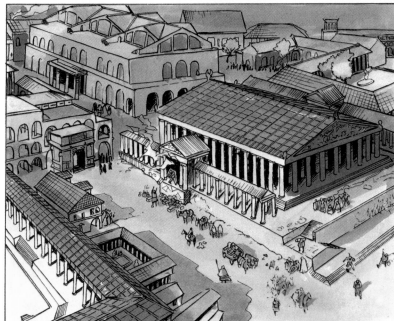

VOILÀ LE PRINCE ADÉON... IL RE- VIENT DE LA CITÉ !

LA VILLE EST RESTÉE DANS L'ÉTAT OÙ L'ONT LAISSÉE LES WISIGOTHS QUAND ILS ONT FAIT TOMBER L'EMPIRE... ELLE N'EST PAS TRÈS BIEN GARDÉE.

Y A-T-IL ENCORE UN POUVOIR DIRIGEANT ?!

NON ! C'EST L'ANARCHIE LA PLUS TOTALE !

29

FAITES ÉVACUER LE BÂTIMENT ET DISPOSEZ LES HOMMES AUTOUR ...

JE VEUX UN CORDON DE SÉCURITÉ IN-FRANCHISSABLE!

AYE !

DIS-MOI, KYMAN, POUR L'INSTANT TES PLANS ME DEMEU-RENT OBSCURS.

NOUS N'AVONS PAS PRIS ROME ..., ET QUEL INTÉRÊT Y AURAIT-IL À S'AP-PROPRIER UNE VILLE ...

...QUI A DÉJÀ ÉTÉ MISE À SAC ET QUI N'ABRITE GUÈRE PLUS ...

...QU'UN RAMASSIS DE PEUPLES BARBARES

AIE CONFIANCE, JE SUIS LES VOIES DE LA DÉESSE.

VOICI L'ÉTENDARD DE MAC SEN, ACCROCHE-LE AU SOMMET DU CAPITOLE ... JE VEUX QUE L'ON PUISSE LE VOIR ...

...D'AU-DELÀ DES PORTES DE LA VILLE.

AYE, BRANWEN, TU ES NOTRE MEILLEUR COURSIER ET JE VAIS TE DONNER UN MESSAGE POUR LE HAUT-ROI.

POURVU QUE MAC SEN MORDE À L'HAMEÇON... SINON, IL ME FAUDRA L'AFFRONTER PAR LES ARMES!

VOUS M'AVEZ DEMANDÉE SEIGNEUR ?!

TU LUI DIRAS QU'À LA SUITE D'UN ÂPRE COMBAT, NOUS AVONS SOUMIS LA CITÉ...

...QUE LES ROMAINS RECONNAISSENT L'AUTORITÉ CELTIQUE ET L'ACCLAMENT COMME LEUR NOUVEL EMPEREUR...

...QU'ICI ON L'APPELLE DÉJÀ L'EMPEREUR MAXIME ET QUE LE PEUPLE VEUT LE VOIR AU PLUS VITE!

UN PIÈGE...

NOTABLES DE ROME, NOUS NE DEMANDONS RIEN D'AUTRE QUE DE POUVOIR OCCUPER LE CAPITOLE PENDANT DEUX MOIS...

MAIS POUR QUI SE PRENNENT-ILS ?

FOLIE !

BÊTISES !

HUM !!

...NOUS SOMMES DE PASSAGE... NOS INTENTIONS SONT PACIFIQUES ET EN AUCUN CAS, NOUS NE MENACERONS LA POPULATION DURANT NOTRE SÉJOUR !

...QU'IL EN SOIT AINSI !!

OUI QU'ILS RESTENT !

...AINSI

...OUAIS

...LE CAPITOLE, ON S'EN FOUT !

NOUS SOMMES ICI AU NOM DE TOUTE LA POPULATION DE... ROME... ELLE S'INQUIÈTE... MAIS SI VOTRE SEUL CAPRICE EST D'OCCUPER LE CAPITOLE...

UNE CAVALIÈRE ARRIVE !

J'AI UN MESSAGE DU PRINCE KYNAN, POUR LE HAUT-ROI.

NOUS SOMMES L'AVANT-GARDE DE L'ARMÉE... LE HAUT-ROI CAMPE À UNE HEURE D'ICI.

ROME EST TOMBÉE ! HA HA HA ... AINSI LES SEIGNEURS DE MEIRIADAWC ONT TENU PAROLE !

QUE LA GARDE ROYALE... HEU... IMPÉRIALE SE PRÉPARE ...

AYE SEIGNEUR !

QUE L'ON M'AMÈNE MON CHAR ...

... ET UNE TOGE !

ROME !

TU PEUX PARTIR... DIS À KYNAN QUE L'EMPEREUR MAXIME ARRIVE ... AVEC SA GARDE PERSONNELLE !

35

MORT À L'USURPATEUR! MORT AU TYRAN!

MAIS... MAIS... JE SUIS VOTRE EMPEREUR...

À MOI, MA GARDE!

SEIGNEUR!?

39

Le chant du graal

Ainsi Kynan gagna
les Terres d'Armor
par le fil de sa lame.

41

KYMAN ÉTABLIT LE PREMIER ROYAUME BRETON SUR LE CONTINENT ET EN DEVINT LE HAUT-ROI... C'EST DEPUIS CE JOUR QUE L'ON NOMME L'ÎLE DE BRETAGNE "LA GRANDE BRETAGNE" PAR OPPOSITION AU ROYAUME DE "PETITE BRETAGNE" QUE KYMAN ÉTABLIT EN ARMOR.

ADÉON REPARTIT EN GRANDE BRETAGNE POUR METTRE SA LANCE AU SERVICE D'ARTHUR ET FAIT DÉSORMAIS PARTIE DE LA COMMUNAUTÉ DE CAVALIERS QU'ARTHUR A FONDÉE À STONEHENGE.

MAIS LE ROYAUME DE PETITE BRETAGNE ÉTAIT ENCORE JEUNE ET LE PEUPLE MEURTRI PAR LA CONQUÊTE, CRIAIT FAMINE...

42

LA RÉVOLTE
GRONDE!

QUEL PIÈTRE
ROI JE FAIS!
L'ÉPÉE ME CON-
VENAIT MIEUX
QUE LE SCEPTRE!

QUE T'A CON-
SEILLÉ TON
DRUIDE ?. IL
EST NATIF
D'ARMOR, LE
PEUPLE
L'ÉCOUTE
...

IL M'A CONSEILLÉ DE
PROUVER AU PEUPLE
QUE C'EST BIEN PAR LA
VOLONTÉ DE LA DÉESSE
QUE JE SUIS ICI!

PLUS
QUE
MOI!

ADMETTONS QUE
TU RÉUSSISSES
À LEUR PROU-
VER TES DIRES.

LA FAMINE
ET LA
RÉVOLTE
MENACERONT
TOUJOURS!

NON!

?!

RECULÉ
+
SALA

43

CAR SI TU ES ROI DE DROIT DIVIN, TU PEUX MENER UNE QUÊTE QUI PROUVERAIT TON AFFILIATION À LA GRANDE DÉESSE ET...

"...QUI ÉPARGNERAIT À TON PEUPLE LES AFFRES DE LA FAMINE!

UNE QUÊTE ?!

C'EST UNE EXCELLENTE IDÉE ...

...JE VAIS ENFIN QUITTER CE TRÔNE ET ME RENDRE UTILE.

CERTES, MAIS SI TU EN 'ACCEPTES LES RISQUES!

SEULS LES POUVOIRS D'ABONDANCE ET DE GUÉRISON DE GRAAL, LE CHAUDRON DE LA DÉESSE, PERMETTRAIENT À TON PEUPLE DE RECOUVRER LA SANTÉ ET DE TE RECONNAÎTRE...

... COMME SON ROI

46

GRAAL! LE CHAUDRON DU DAGDA!

NE LE TOUCHE PAS!

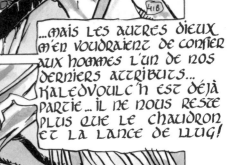

...MAIS LES AUTRES DIEUX M'EN VOUDRAIENT DE CONFIER AUX HOMMES L'UN DE NOS DERNIERS ATTRIBUTS... KALEDVOULC'H EST DÉJÀ PARTIE... IL NE NOUS RESTE PLUS QUE LE CHAUDRON ET LA LANCE DE LUG!

DÉESSE, JE NE PARTIRAI AVEC LE CHAUDRON QU'AVEC VOTRE PERMISSION!

IL SERAIT BON QUE LE CHAUDRON REVIENNE À TON PEUPLE, KYNAN, CAR TU M'AS TOUJOURS SERVI...

COMME TU LE SAIS, NOUS, LES DIEUX, ALLONS BIENTÔT NOUS RETIRER DES JEUNES ROYAUMES POUR NE PLUS COMMERCER AVEC LES HOMMES...

...MAIS POUR CELA, IL NOUS FAUT PRENDRE "L'ŒUF COSMIQUE" ET LE DÉTRUIRE...

...IL EST À L'ORIGINE DE LA TERRE, DES DIEUX ET DES HOMMES...

EN LE DÉTRUISANT, NOUS SERONS DÉLIÉS DU SORT DES HOMMES...

JE VAIS T'ENVOYER DANS LA DIMENSION PRIMORDIALE, LÀ TU AFFRONTERAS LE GARDIEN DE L'ŒUF...

...RAMÈNE L'ŒUF ET TU AURAS LE CHAUDRON DU DAGDA!

PRENDS LA LANCE DE LLUG, TU EN AURAS BESOIN!

48

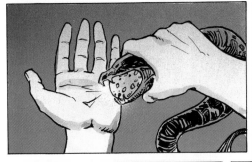

PLONGEZ-LE DANS LE CHAU-DRON !

!?

53

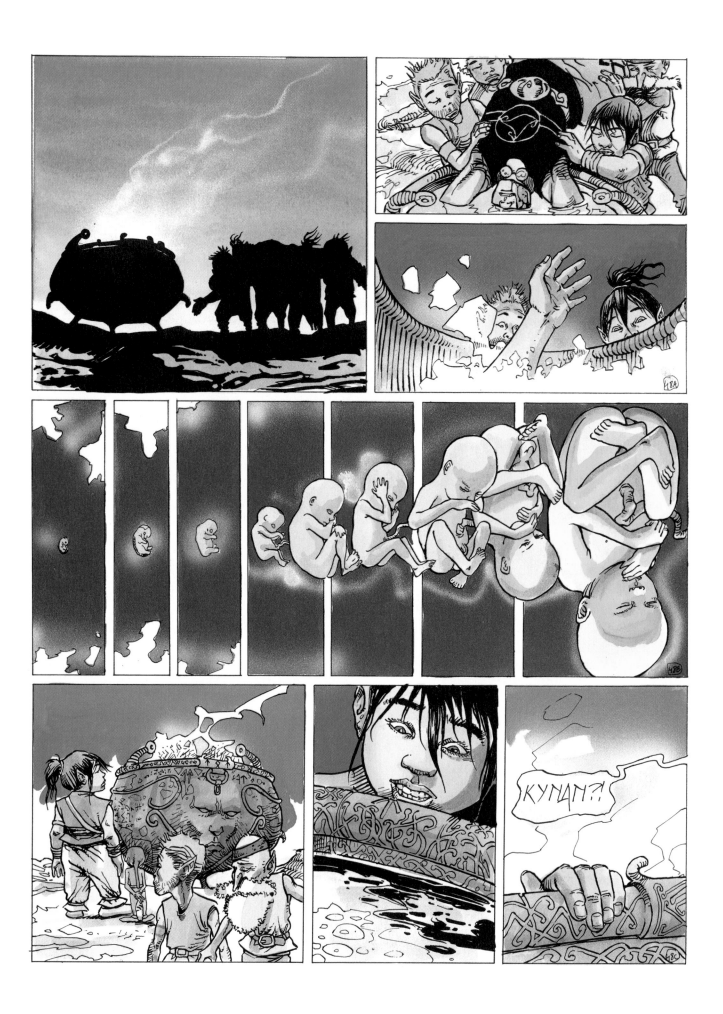

IL EST TEMPS POUR LES DIEUX DE SE RETIRER !

J'ESPÈRE QUE LES HOMMES SONT PRÊTS POUR PRENDRE SOIN DES JEUNES ROYAUMES SANS NOTRE AIDE.

LE CHAUDRON !

DEPUIS LA VENUE DU CHAUDRON, LA PETITE BRETAGNE PROSPÉRAIT; KYMAN QUI AVAIT OFFERT LES POUVOIRS DE GRAAL À SON PEUPLE, ÉTAIT DÉSORMAIS ÉCOUTÉ ET AIMÉ ...

DANS LES ASSEMBLÉES, CONTRAIREMENT À LA STRICTE TRADITION CELTIQUE, ...

IL PRENAIT MAINTENANT LA PAROLE AVANT SON DRUIDE.

POURTANT, LE ROI S'ENNUYAIT ET DÉSESPÉRAIT DE NE JAMAIS VOIR VENIR LE JOUR OÙ IL POURRAIT MOURIR DEBOUT ET L'ARME À LA MAIN, COMME ...

... IL CONVIENT À UN HÉROS CELTE. L'INACTION LE RONGEAIT COMME UN MAL PERNICIEUX.

Le chant d'Arthur

ARTHUR VOUS PROPOSE DE DEVENIR SON VASSAL ET AINSI ...

... D'ALLIER, SOUS LA MÊME COURONNE, TOUS LES ROYAUMES BRETONS DE L'ÎLE ET DU CONTINENT!

AINSI ARTHUR SERAIT ROI DE TOUTES LES BRETAGNES,... J'ACCEPTE,... JE POURRAI AINSI QUITTER CE TRÔNE ET ERRER À L'AVENTURE.

VOUS POURRIEZ VENIR DANS NOTRE COMMUNAUTÉ DE CAVALIERS À STONEHENGE, J'Y SERS ARTHUR AVEC ADÉON ET DES NOMBREUX AUTRES ROIS BRETONS, L'AVENTURE, NOUS L'AVONS À LOISIR!

JE ME CROIS PAS QUE CELA ME CONVIENDRAIT, MAIS J'Y SONGERAI.

ET LE CHAUDRON?

... POUR QUE LE PEUPLE PROFITE DES POUVOIRS DU CHAUDRON IL FAUT QU'IL SOIT PLACÉ AU CÔTÉ DU ROI DE CE PEUPLE.

SA PLACE EST DÉSORMAIS À CAMLAAN PRÈS DU ROI ARTHUR ...

... AINSI NOS DEUX ROYAUMES EN PROFITERONT... GALAAD, TU PEUX EMPORTER GRAAL!

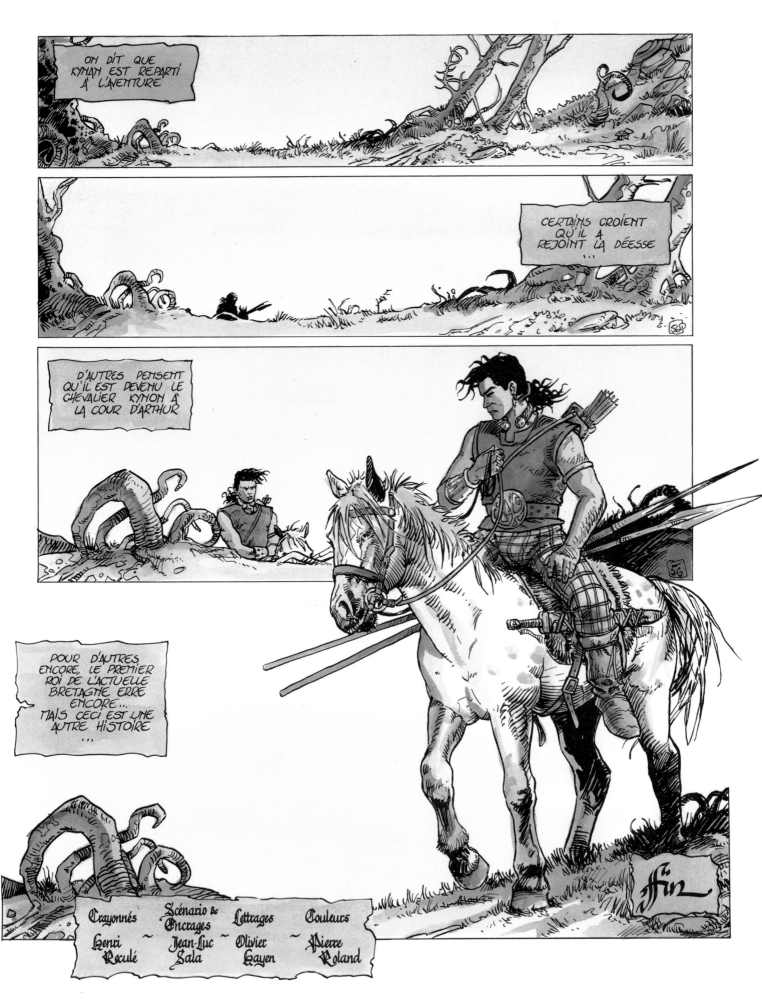

ON DIT QUE KYNAN EST REPARTI À L'AVENTURE

CERTAINS CROIENT QU'IL A REJOINT LA DÉESSE...

D'AUTRES PENSENT QU'IL EST DEVENU LE CHEVALIER KYNON À LA COUR D'ARTHUR

POUR D'AUTRES ENCORE, LE PREMIER ROI DE L'ACTUELLE BRETAGNE ERRE ENCORE... MAIS CECI EST UNE AUTRE HISTOIRE...

FIN

Crayonnés	Scénario & Encrages	Lettrages	Couleurs
Henri Reculé	~ Jean-Luc Sala	Olivier Hayen	~ Pierre Roland